D1470154

I CAPOLAVORI

Disney

Peter Pan

The WALT DISNEP Company Italia S.p.A.
• L I B R I •

Quella che stiamo per raccontarvi è una storia
senza tempo, una storia che molti hanno
vissuto da bambini, ma poi, da grandi,
hanno dimenticato. Questa volta, comincia
nella casa della famiglia Darling...

3

È sera, e mamma e papà stanno preparandosi
per una festa fuori casa. Sono in ritardo,
perché il signor Darling non trova più
i gemelli per i polsini della camicia.

Intanto i bambini giocano nella loro camera:
il piccolo Michele fa la parte di Peter Pan,
mentre Gianni, che ha in mano una
gruccia, è il terribile Capitan Uncino.
"Arrenditi!" esclama Michele.
"Mai. Devo vendicare la mano che
mi hai tagliato!" risponde Gianni.

Poco dopo, papà Darling scopre che la sua
camicia è stata trasformata in una mappa.
Così si arrabbia con Wendy, la figlia maggiore,
che racconta sempre ai fratelli le avventure
di Peter Pan. Poi vede Nana, il vecchio cane
di famiglia, e se la prende anche con lei.

Ma quella di Peter Pan non è una favola. Qualche
giorno prima, il leggendario ragazzo era venuto
ad ascoltare i racconti di Wendy. Nana
era riuscita ad afferrare la sua ombra
e ora Peter è tornato per cercarla.
La fatina Trilli, sua inseparabile amica,
gli indica che è nascosta nel cassetto.

L'ombra non vuole saperne
di tornare dal suo padrone.
Per acciuffarla, Peter fa un gran
baccano e Wendy si sveglia.
"Peter! Oh, Peter, sapevo
che saresti tornato!"
esclama la ragazzina.

Mentre gli ricuce l'ombra, Wendy
racconta a Peter che lei non potrà
più continuare a dormire
nella camera dei bambini.
"Da domani dovrò crescere!"
Allora Peter Pan decide: porterà
la ragazzina nell'Isola-che-non-c'è,
il magico luogo dove
non si diventa mai grandi.

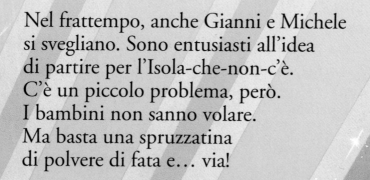

Nel frattempo, anche Gianni e Michele
si svegliano. Sono entusiasti all'idea
di partire per l'Isola-che-non-c'è.
C'è un piccolo problema, però.
I bambini non sanno volare.
Ma basta una spruzzatina
di polvere di fata e... via!

I quattro amici si alzano in volo
nel cielo di Londra. Gianni,
previdente, ha portato
con sé ombrello e cappello.
Peter Pan fa strada:
"La seconda stella, poi si volta
e... via, sempre dritto!"

Ben presto, Peter Pan e i bambini giungono
in vista dell'Isola-che-non-c'è. Sotto di loro,
cominciano a vedere la Laguna delle Sirene,
l'accampamento indiano e... il vascello
di Capitan Uncino, il terribile pirata
che cerca sempre di catturare Peter Pan.

A bordo della nave pirata si sente un ticchettio.
È il solito coccodrillo che, insieme con
la mano di Capitan Uncino, ha divorato
una sveglia e così tutti lo sentono arrivare.
Il nostromo Spugna lo scaccia, mentre
Capitan Uncino trema di paura.

Purtroppo i nostri eroi non passano
inosservati. Una grossa palla
di cannone, sparata dal vascello
di Capitan Uncino, sfiora
i bambini. Poi un'altra...
"Trilli, conduci
i ragazzi al sicuro!
A Capitan Uncino
provvedo io!"
grida Peter.

Ma Trilli vola via con aria seccata. "Trilli!
Non così veloce, per favore! Non ce
la facciamo a starti dietro!" implora
Wendy. La fatina finge di non sentire
e scompare nel folto della foresta. Non vuole
più vedere la ragazzina di cui è gelosa.

La fatina raggiunge il rifugio segreto di Peter Pan,
dove sono nascosti i Bimbi Sperduti, gli amici
del magico eroe. Trilli li sveglia e fa capir
loro che Peter ha ordinato di abbattere
un feroce uccello di nome Wendy.

Presa a sassate dai Bimbi Sperduti,
Wendy non riesce più a volare
e precipita. Ma qualcuno la afferra
e la depone dolcemente
a terra. È Peter Pan!
"Trilli ha detto
che era un uccello…
e che tu avevi ordinato
di spararle!" spiegano
i Bimbi Sperduti.

Peter Pan è furioso con la fatina: "Trilli,
sei colpevole di alto tradimento!
Devi andartene per sempre dal mio regno!"
Ma Wendy, impietosita, ottiene
che stia lontana solo una settimana.

Mentre Peter e Wendy volano alla Laguna
delle Sirene, Michele e Gianni vanno
in esplorazione con i Bimbi Sperduti.
D'un tratto, vedono delle orme:
"Gli indiani! Guardate, Piedi Neri!"

Gli indiani attaccano di sorpresa,
catturano i bambini e li legano
per portarli all'accampamento.
Gianni, capo della spedizione,
si sente responsabile: è convinto
che sia tutta colpa sua.

Di solito, gli indiani catturano
i bambini solo per gioco.
Ma questa volta no. Il capo
Toro in Piedi chiede minaccioso:
"Dove nascondere voi Giglio
Tigrato?" I bambini rispondono
di non saperne niente.
"Menzogna! Se per tramonto
mia figlia non tornare,
io scotennare tutti voi!"

39

Intanto Peter Pan mostra a Wendy la Laguna
delle Sirene. Le bellissime creature fanno
una gran festa a Peter. Ma quando
si accorgono di Wendy, ingelosite
le fanno i dispetti. Peter Pan corre
ad aiutare la sua amica e, proprio
allora, arriva Capitan Uncino.

Peter e Wendy spiano Capitan Uncino e il nostromo Spugna. "Hanno catturato Giglio Tigrato!" esclama Peter. Infatti, i due pirati, arrivati vicino alla Roccia del Teschio su una barchetta, hanno legato la principessa indiana a uno scoglio.

Capitan Uncino sta minacciando
Giglio Tigrato. "Voi mi dite
dove si nasconde Peter Pan
e io vi rimando da vostro padre.
È meglio che vi decidiate,
cara, perché fra poco avremo
l'alta marea! E allora
non potrete più parlare!"
Ma la principessa
si rifiuta di rispondere.

All'improvviso, Peter Pan balza fuori
dal suo nascondiglio e sfida Capitan
Uncino. Il pirata sguaina la spada
e cerca di colpirlo, ma Peter è troppo
agile per lui: schiva facilmente
i suoi colpi e lo prende in giro,
mandandolo su tutte le furie.

Alla fine, il pirata cade nel vuoto
rimanendo appeso con l'uncino
a una roccia. Sotto di lui, però,
ecco aprirsi la bocca del coccodrillo,
che già pregusta il suo pranzetto!
"Ah, bene, bene. Un baccalà appeso
all'uncino!" esclama Peter Pan. Intanto
Giglio Tigrato sta per annegare.

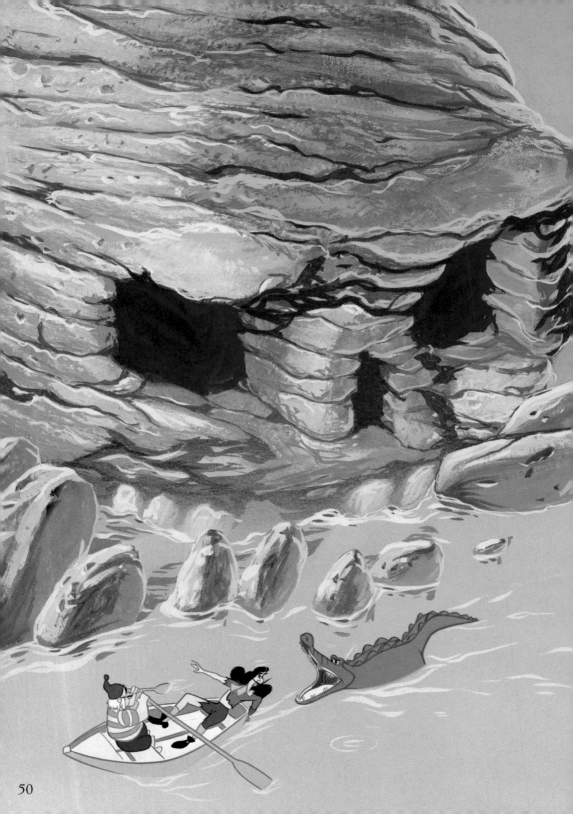

Mentre Capitan Uncino sfugge ancora
una volta all'enorme bocca del coccodrillo,
Peter Pan riesce a salvare la principessa
appena in tempo. Ormai,
dall'acqua spuntava solo la piuma
fra i suoi capelli. Il nostro eroe vola
via con la fanciulla fra le braccia.

Toro in Piedi è colmo di gioia nel rivedere
la figlia. Liberati i prigionieri, regala
a Peter un copricapo di piume
e gli dà il nome di Giovane
Aquila Volante. Così Peter Pan
diventa indiano onorario.

Nel frattempo, Trilli se ne sta tutta sola
a guardare il fumo che sale dal campo
indiano. È triste e pensierosa perché
è stata scacciata e non sa che Spugna,
per ordine di Capitan Uncino,
sta per catturarla.

Improvvisamente, Trilli si ritrova al buio,
imprigionata nel berretto di Spugna.
"Scusate, signorina Trilli,
ma Capitan Uncino vorrebbe dirvi
una parola," si giustifica il nostromo.
Uncino ha intenzione di servirsi
della gelosia della fatina verso Wendy
per convincerla a svelare il segreto
del nascondiglio di Peter Pan.

Capitan Uncino chiede a Trilli di aiutarlo
a rapire Wendy e, per convincerla, le promette
che non alzerà un dito su Peter Pan. La fatina
cade nella trappola e spiega che Wendy si trova
nel rifugio di Peter, nell'Albero dell'Impiccato.

Intanto, finita la festa al campo indiano, i Bimbi
Sperduti sono tornati al nascondiglio. Seduti
vicino a Wendy, le chiedono che cos'è una mamma.
Così la ragazzina spiega: "Una mamma, una vera
mamma, è la cosa più bella che ci sia al mondo!"

Le parole di Wendy fanno venire voglia di tornare a casa a tutti i bambini. Peter Pan è furioso: "Fate pure, andatevene e diventate grandi! Ma vi avverto, una volta partiti, non potrete più tornare qui. Mai più!"

Appena i bambini escono dal nascondiglio, trovano ad attenderli i pirati. Wendy è l'ultima a uscire. Piena di incertezza e dispiaciuta per Peter Pan, si affaccia dall'Albero dell'Impiccato e... vede con orrore che tutti i bambini sono stati catturati!

"E adesso, occupiamoci di messer Peter Pan!"
esclama Capitan Uncino, prendendo
un grosso pacco. Spugna preferirebbe attaccare
direttamente il ragazzo, ma il capitano
spiega: "Ho dato la mia parola di non alzare
dito, o uncino, su Peter Pan. E Capitan Uncino
mantiene sempre la sua parola!" Così dicendo,
cala il pacco nell'Albero degli Impiccati.

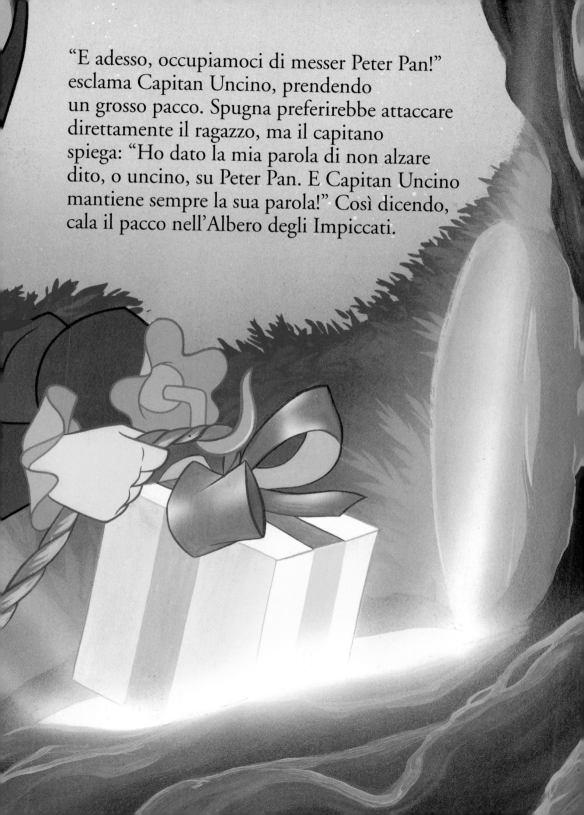

Più tardi, sulla nave, Capitan Uncino annuncia
ai prigionieri che saranno salvi se diventeranno
pirati. I bambini sono tentati di accettare,
ma Wendy li rimprovera e rifiuta l'offerta
a nome di tutti. È sicura che Peter li salverà.

"Abbiamo lasciato un ricordino per Peter!" spiega
il feroce Capitan Uncino a Wendy. "Se solo
potesse vedere dentro quella scatola, troverebbe
un piccolo ingegnoso ordigno." "Congegnato
in modo che quando l'orologio farà così..."
interviene Spugna indicando le ore sei,
"... verrà scaraventato via dall'isola
per l'eternità," conclude il capitano.

Anche Trilli ha sentito il perfido piano di Capitan Uncino e vuole avvisare Peter. Riesce a spaccare il vetro della lanterna dove il capitano l'ha rinchiusa e vola all'Albero degli Impiccati. Deve assolutamente arrivare prima delle sei!

Trilli raggiunge Peter proprio mentre
sta aprendo il pacco. Il ragazzo
non vuole cedere quel dono, sul quale
Capitan Uncino ha lasciato un falso
biglietto firmato con il nome
di Wendy. Ma la fatina
glielo toglie dalle mani appena
in tempo, prima che esploda.

Sulla nave, i bambini sentono
l'esplosione e guardano
spaventati in direzione
del loro nascondiglio segreto.
"A noi, ora! Cosa scegliete:
l'ingaggio o il grande viaggio?"
chiede Capitan Uncino.
Wendy risponde a nome
di tutti: "Noi non saremo
mai dei vostri!" e si avvia
a testa alta sulla passerella…

I pirati sono nervosi perché non hanno sentito
il tonfo della ragazza nell'acqua. Di Wendy
non c'è traccia: che fine avrà fatto?
La ragazza è in salvo fra le braccia
di Peter, che l'ha presa al volo proprio
mentre stava per finire in mare.

Peter vola su un pennone della nave, lasciando
di stucco il capitano e i suoi pirati,
che credevano di averlo tolto di mezzo.
"Di' le tue preghiere, Uncino!"
grida Peter Pan, dando inizio
a uno spettacolare duello.

Con un'agile mossa, Peter
libera i bambini,
che si arrampicano
sulla coffa.
Da lì respingono
l'assalto dei pirati
con cerbottane, pietre
e asce. E a guidare
le operazioni è Gianni,
il loro comandante.

Furioso, Capitan Uncino sfida Peter Pan
a battersi senza volare. "Combatterò
con te da uomo a uomo,
con una mano dietro la schiena,"
afferma il ragazzo. Ma durante
il duello Peter si ritrova
pericolosamente in bilico
sul pennone della vela maestra!

Per fortuna Peter Pan riesce a mantenere l'equilibrio,
e a disarmare Capitan Uncino. Sconfitto, il pirata
lo implora di risparmiargli la vita. "Sia pure,"
acconsente Peter, "se dichiari di essere
un baccalà!" Il capitano obbedisce,
poi però cerca di colpire
Peter a tradimento... Ma perde
l'equilibrio e cade in mare, dove
lo aspetta il coccodrillo!

Capitan Uncino riemerge dalla bocca
del coccodrillo. Strillando
come un'aquila, chiede aiuto
al nostromo. Spugna
sta scappando con i pirati
su una scialuppa, ma torna
indietro per salvare il capitano.

Mentre i bambini esultano per la vittoria, Wendy
nomina Peter ammiraglio. Il ragazzo subito
dà ordine di iniziare le manovre per salpare.
E quando Wendy vuol sapere dove
sono diretti, la risposta è:
"A Londra, signora!"

Peter chiede a Trilli di spruzzare sulla nave
la polvere di fata. Così il vecchio
vascello pirata, trasformatosi
in un galeone dorato, si alza in volo
nel cielo, sopra l'Isola-che-non-c'è.

Quando papà e mamma
Darling tornano
a casa, trovano il letto
di Wendy vuoto.
Sorpresi, vedono
la ragazzina dormire
vicino alla finestra.
"Mammina, siamo
tornati! Sai, è stato
davvero straordinario:
Trilli, le sirene e…
Peter Pan, il più
straordinario di tutti!"
racconta Wendy
ai genitori stupiti.

Ma poi papà, mamma e Wendy si affacciano
alla finestra e vedono una misteriosa figura
fatta di nuvole passare davanti alla luna.
Il signor Darling commenta: "Ho la sensazione
di averlo già visto, quel vascello… tanto
tempo fa, quando ero bambino!"

Peter Pan © 1997, 2002
Testo italiano di Sabina Piperno
Editing di Epierre, Milano
The Walt Disney Company Italia S.p.A., Milano
Stampato da Rotolito Lombarda - Pioltello, Milano